Fred y yo

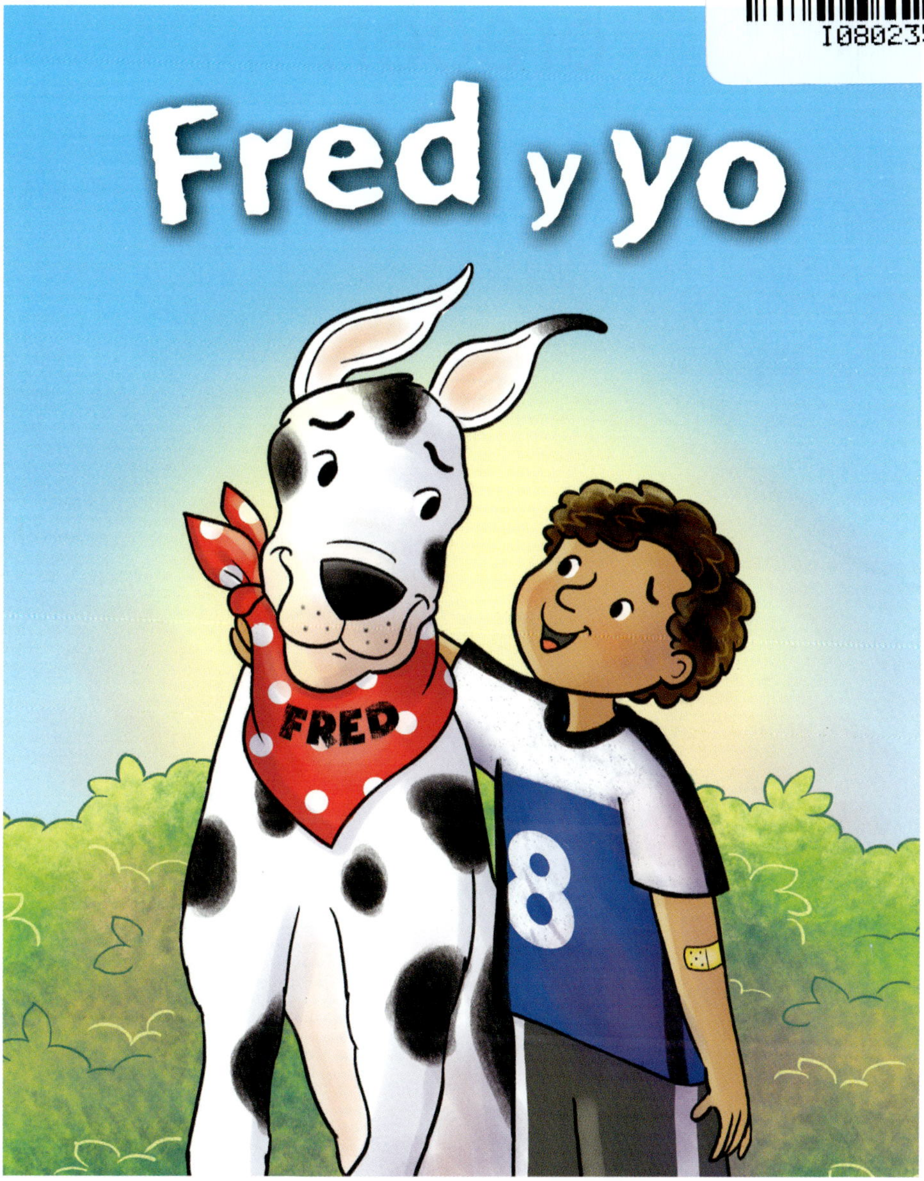

Por Maya Franklin
Ilustrado por Mary Rojas

crecen

Créditos de publicación

Rachelle Cracchiolo, M.S.Ed., *Editora comercial*
Nika Fabienke, Ed.D., *Directora de contenido*
Véronique Bos, *Directora creativa*
Shaun Bernadou, *Directora de arte*
Michelle Jovin, M.A., *Editora asociada*
Caroline Gasca, M.S.Ed., *Editora superior*
Jess Johnson, *Diseñadora gráfica*

Créditos de imágenes: Ilustraciones de Mary Rojas.

Library of Congress Cataloging-in-Publication Data

Names: Franklin, Maya, author. | Rojas, Mary, illustrator.
Title: Fred y yo / por Maya Franklin ; ilustrado por Mary Rojas.
Other titles: Fred and me. Spanish.
Description: Huntington Beach, CA : Teacher Created Materials, [2020] | Audience: Grades K-1.
Identifiers: LCCN 2019051538 (print) | LCCN 2019051539 (ebook) | ISBN 9780743927437 (paperback) | ISBN 9780743927581 (ebook)
Subjects: LCSH: Spanish language--Readers. | Growth--Juvenile fiction. | Dogs--Juvenile fiction.
Classification: LCC PC4115 .F726 2020 (print) | LCC PC4115 (ebook) | DDC 468.6/2--dc23

TCM Teacher Created Materials
5301 Oceanus Drive
Huntington Beach, CA 92649-1030
www.tcmpub.com

ISBN 978-0-7439-2743-7

Printed in China
Nordica.032020.CA22000023

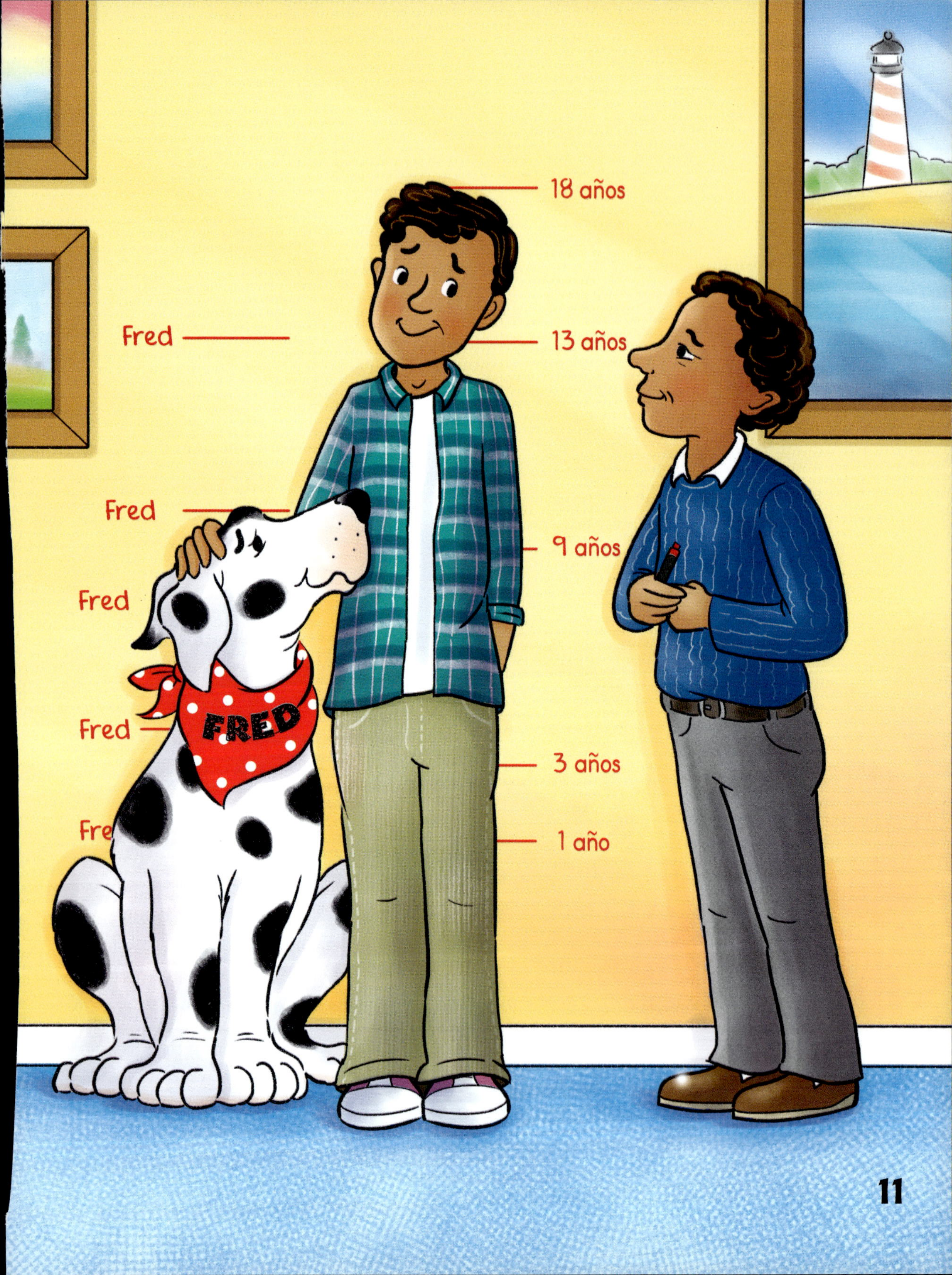
18 años
Fred
13 años
Fred
9 años
Fred
Fred
FRED
3 años
1 año

Fred

crecen

Fred

crecen

Fred
9 años
Fre
3 años
Fred
1 año

crecen

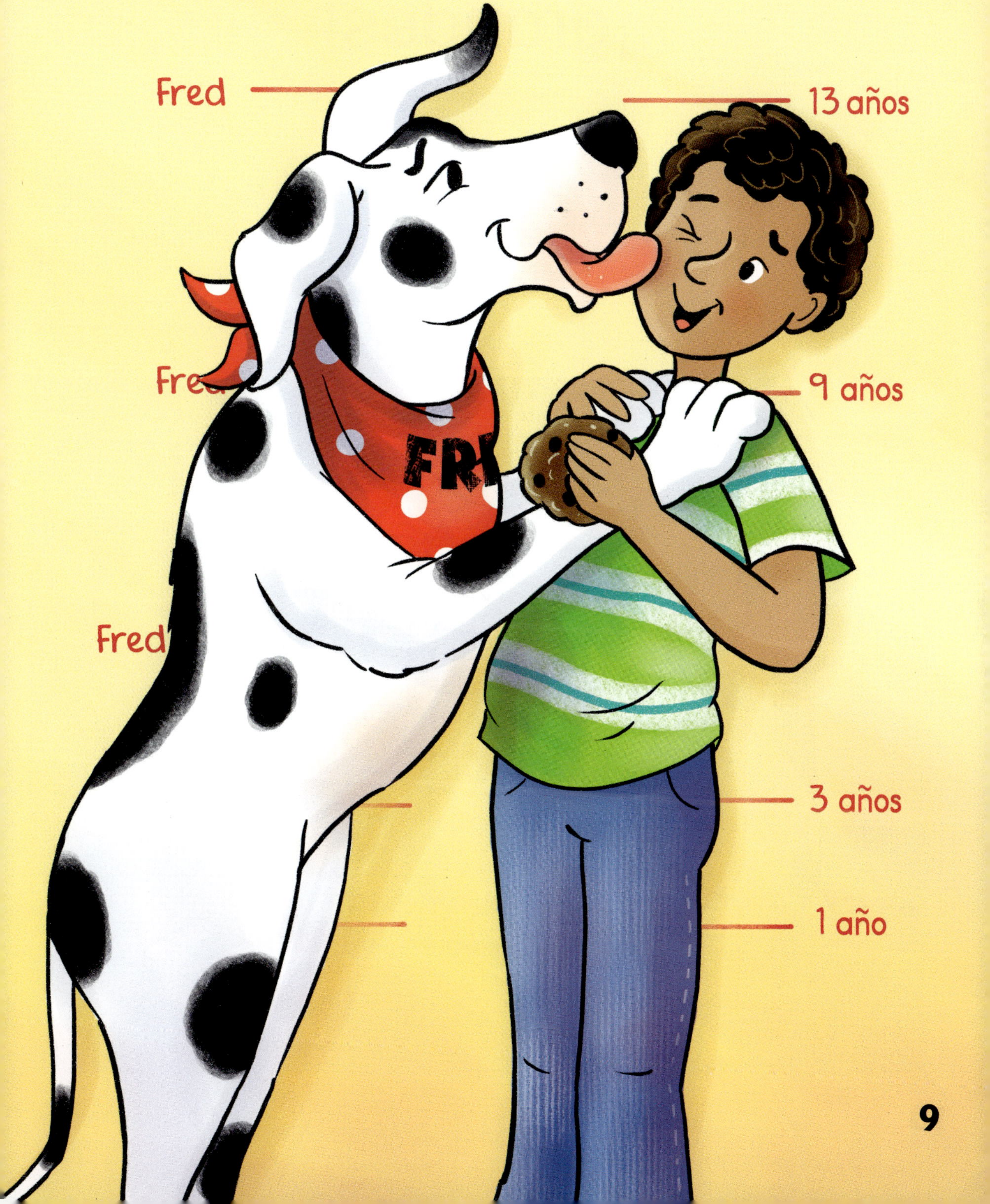
Fred
13 años
Fred
9 años
FR
Fred
3 años
1 año

¡grandes!